D1208044

Nous remercions le ministère du Patrimoine canadien,
la SODEC et le Conseil des Arts du Canada
de l'aide accordée à notre programme de publication

 Patrimoine   Canadian
canadien   Heritage

 Conseil des Arts   Canada Council
du Canada   for the Arts

ainsi que le Gouvernement du Québec
– Programme de crédit d'impôt
pour l'édition de livres
– Gestion SODEC.

Illustration de la couverture
et illustrations intérieures :
François Thisdale

Couverture :
Conception Grafikar

Édition électronique :
Infographie DN

Dépôt légal : 1er trimestre 2005
Bibliothèque nationale du Canada
Bibliothèque nationale du Québec

123456789 IML 098765

LE SÉDUCTEUR

Données de catalogage avant publication (Canada)

Cossette, Hélène, 1961-

    Le séducteur

    (Collection Sésame ; 70)
    Pour enfants de 6 à 9 ans.

    ISBN 2-89051-918-X

    I. Titre II. Collection : Collection Sésame ; 70.

PS8605.O87S44 2005   jC843'.6   C2004-941985-4
PS9605.O87S44 2005

HÉLÈNE COSSETTE

roman

**ÉDITIONS
PIERRE TISSEYRE**

5757, rue Cypihot, Saint-Laurent (Québec) H4S 1R3
Téléphone: (514) 334-2690 – Télécopieur: (514) 334-8395
Courriel: ed.tisseyre@erpi.com

À mon fils Mikaël
et à mes neveux
Antoine, Alexis et Gabriel,
tous des séducteurs,
chacun à leur façon.

1

GABY DANS LE MÉTRO

Ce n'est pas pour me vanter, mais tout bébé, j'avais les plus beaux yeux bleus et les plus jolies boucles blondes que l'on puisse imaginer. C'est du moins ce que les membres de ma famille répétaient sans cesse. Ils me prenaient aussi pour un génie et s'extasiaient, une larme attendrie au coin de l'œil, devant le moindre de mes sourires et gazouillis.

Ce fut pareil lors de mes premiers pas, de mes premiers mots et de mes premiers gribouillis. Ils n'en revenaient pas de l'agilité, de la rapidité d'apprentissage et des talents d'artiste de leur Gaby chéri!

Il faut dire que, étant un enfant unique au milieu de vingt adultes, j'aurais pu être moche comme un pou et bête comme un chou, ils m'auraient tout de même adoré!

Étais-je vraiment aussi mignon et brillant qu'ils semblaient le croire? Il fallait que je m'en assure auprès d'étrangers.

* * *

La première fois, je devais avoir quatre mois. J'étais dans le métro avec maman, blotti contre elle dans un porte-bébé. Une grand-mère toute ridée s'assit à côté de nous. Il s'agissait d'une cible facile pour une première épreuve. En effet, dès que je me tournai vers la vieille dame pour lui montrer fièrement ma nouvelle dent, elle réagit tout de suite, me montrant en retour son dentier.

— Guili-guili, quel gentil nourrisson! me dit-elle, en me pinçant la joue.

J'en bavais de satisfaction!

Pourtant, je n'étais toujours pas convaincu de mon charme. Cette vieille dame était de nature beaucoup trop joviale. Il me fallait faire un autre essai sur quelqu'un de moins aimable.

À l'arrêt suivant, trois punks montèrent à bord de notre wagon. J'avoue que j'eus un peu peur en voyant leurs mines patibulaires. Je me cachai le visage dans la blouse de ma mère.

Mais l'envie de mesurer mon pouvoir était plus forte que mes craintes. Je m'étirai donc le cou pour regarder furtivement l'inquiétant trio. La fille avait des anneaux partout : dans le nez, entre les sourcils, sur la lèvre et tout le long de l'oreille droite. Elle avait une chevelure noire et terne, des collants troués et des bottes de l'armée. Ses yeux barbouillés de khôl regardaient dans le vide et les écouteurs de son baladeur diffusaient une musique assourdissante. Pas moyen d'attirer son attention !

Le maigrichon à ses côtés avait des pics raides sur le crâne, des chaînes et des épingles à couche pour retenir les pans déchirés de ses vêtements. Avec sa peau d'une blancheur cadavérique et son cache-œil de pirate, il était franchement antipathique.

Le troisième compère me paraissait plus abordable. Malgré sa coiffure mohawk teinte en bleu et son kilt écossais, son doux regard et son visage rond lui donnaient l'aspect d'un gros poupon. Je repris un peu de courage, bien calé contre le doux corsage de ma mère. Puis, je me mis à lui faire de franches risettes.

Au début, il fit mine de m'ignorer. Il regardait ailleurs, sifflotait ou parlait à son compagnon. Mais j'insistai si bien que, trois stations plus loin, il ne me lâchait plus. Il rigolait à son tour, découvrant plusieurs dents gâtées. C'était vraiment disgracieux !

Il donna un coup de coude à sa compagne, souleva un de ses écouteurs et lui chuchota quelques mots. Celle-ci m'aperçut enfin, et s'exclama, dans son jargon : « *Y'é toutte cute !* » Elle s'approcha de moi et

s'agenouilla pour me faire des câlins.

Lorsque je sortis du wagon, les trois hurluberlus me firent des adieux déchirants. Plaqués contre la fenêtre du métro en marche, ils m'envoyèrent tout plein de bye-bye et de bisous.

Après pareil exploit, je fus vraiment rassuré sur mon charme de
bébé!

2

L'AFFRONT

À un an, je refis tout de même l'expérience, juste pour vérifier si mon pouvoir de séduction demeurait intact.

Ce jour fatidique, j'accompagnais papa au bureau des passeports. Nous poireautions dans la salle d'attente, lorsqu'un monsieur à l'allure coincée s'installa en face de nous. Les tempes grises, le front traversé d'une ride soucieuse, il semblait être le spécimen parfait pour mon entreprise.

Pendant plus de vingt minutes, j'essayai sur lui tout mon arsenal de charmeur. Je commençai par lui faire de superbes sourires. Mais ses lèvres à lui restaient résolument pincées.

Je m'amusai à faire des bulles avec ma salive. Mon père sortit son mouchoir. Mais l'homme ne semblait toujours pas me voir.

Pour attirer son attention, je lui fis de grands signes avec les bras. J'essayai de jouer à cache-cache avec lui en mettant mes menottes devant ma figure, puis en baissant mon bonnet sur mon nez. Je lui fis des grimaces, couché à la renverse en tenant les mains de mon père.

Devant mes pitreries, toute la salle d'attente était pliée en deux.

Mais le triste personnage, lui, restait de marbre. Était-il aveugle ? Il n'avait pourtant ni canne, ni chien Mira !

Ah, ah, pensai-je, ce diable d'homme réagirait-il davantage à la parole ? Aussitôt, je récitai un par un tous les mots de mon vocabulaire. Des classiques comme *papa, maman, joujou, camion*, jusqu'à ma collection de gros mots! Il ne broncha pas. Était-il sourd?

Inspirant bien fort, je poussai alors un grand cri. Tous les regards se tournèrent vers moi. Sauf le sien. C'était désespérant!

En dernier recours, j'eus un geste d'une rare générosité: je lui tendis d'une main mon biberon et, de l'autre, ma tétine. Croyez-le ou non, l'ingrat n'eut pour toute réaction qu'un haussement d'épaules agacé!

Avais-je perdu mon pouvoir? Je ne pouvais le croire!

Terriblement vexé, je lui lançai mon nounours à la tête. Bien entendu, je n'avais pas la force nécessaire pour l'atteindre et mon toutou aboutit au beau milieu du plancher. Le vilain bonhomme ne sut jamais que je le visais.

Lorsque son numéro fut appelé, il se leva, sans m'accorder la moindre attention. J'étais tellement frustré que j'éclatai en sanglots.

Je demeurai inconsolable pendant des heures, au point où papa dut retourner à la maison, sans son passeport.

Il me faudra peut-être un jour le vérifier auprès d'un psychologue, mais je crois que c'est à cet être insensible que je dois mon obsession de plaire.

3

MAÎTRE
ÈS SÉDUCTIONS

Après cette traumatisante mésa-
venture, je ne manquai plus une oc-
casion de m'exercer à l'art d'embo-
biner les adultes. J'essayais diverses
techniques, partout où l'on m'ame-
nait. Trouver la bonne méthode était
très gratifiant. Nul ne manquait jamais de m'offrir un petit quelque

chose, bonbon, babiole ou autre gâterie.

J'avais si bien travaillé que le rôle d'enjôleur était devenu pour moi une seconde nature. Je savais d'instinct ce qui allait marcher avec tel ou tel type de personne. Chez certains, ma beauté seule suffisait. Avec d'autres, les clowneries s'imposaient. Pour conquérir les intellectuels, je n'avais qu'à prononcer un ou deux termes compliqués. Afin d'amadouer les plus bourrus ou les timides, les flatteries fonctionnaient toujours. Aux gens imbus d'eux-mêmes je réservais ma fameuse expression béate d'admiration. Le résultat était immédiat : un bambin qui s'intéressait à leur auguste personne ne pouvait être qu'un surdoué.

Bref, j'étais devenu expert en séduction !

* * *

Alors que j'avais trois ans, je passai une semaine chez mes grands-parents qui habitaient très, très loin. Ils m'emmenèrent visiter Germaine Lussier, une demoiselle solitaire et âgée, pour qui ils faisaient parfois les commissions. Je ne la rencontrai qu'une seule fois, mais je garde un souvenir impérissable de l'effet que je produisis sur elle.

Dès que madame Lussier me vit apparaître de sous les jupes de ma grand-mère, elle eut un coup de foudre. Ses lunettes s'embuèrent, ses mains et ses jambes se mirent à trembler. De sa petite voix chevrotante, elle salua à peine mes grands-parents avant de se lancer sur moi. Malgré ses rhumatismes, elle se pencha pour me prendre dans ses bras.

De toute la visite, tatie Germaine ne me lâcha pas. Elle me couvrit d'attentions, de sucre à la crème et de cadeaux. Mes grands-parents durent prétexter un rendez-vous urgent pour qu'elle accepte finalement de me laisser partir. La pauvre dame avait la larme à l'œil lorsque je lui dis au revoir.

Je ne la revis plus jamais, mais chaque année, elle m'envoyait un cadeau d'anniversaire. En retour, je lui postais une carte de remerciements ou un dessin. Beaucoup plus tard, je compris à quel point je l'avais séduite : elle avait fait de moi son unique héritier !

* * *

J'étais aussi le bourreau des cœurs de la garderie. Tous mes éducateurs étaient victimes de mon

magnétisme. Jusqu'à la cuisinière qui m'aurait adopté, si mes parents l'avaient laissée faire! Lorsqu'un cinéaste vint faire du repérage, il m'offrit tout de suite le premier rôle. Comment aurait-il pu résister à un bambin aussi attachant que photo-génique?

À l'école, ce fut pareil. Je conquis chacun de mes professeurs, même les plus récalcitrants. Avec mon enseignante de maternelle, ce fut tout naturel. Elle me ressemblait tellement qu'on me prenait pour son fils. Elle se prit immédiatement d'une affection sans borne pour moi.

En première année, j'étais l'élève modèle, le chouchou. Celui à qui mademoiselle Trudeau confiait toutes les tâches et responsabilités. J'avais l'honneur de nettoyer les brosses et le tableau, de vider la corbeille à papier dans le bac à recyclage et de remettre chaque matin la liste des présences à la directrice.

Puis, je gagnai l'admiration de la terrible madame Loignon en remportant le premier prix à un concours de dessin. Elle fut si flattée que je la prenne pour modèle que son cœur de pierre s'attendrit pour toute la durée de ma deuxième année!

La conquête de monsieur Bouchard fut plus difficile. Seul professeur masculin de notre école, il avait une nette préférence pour les filles, beaucoup plus sages que les garçons au même âge. Constatant cette injustice, je convainquis mes copains de lui montrer que nous pouvions être aussi studieux que ces demoiselles. Nous créâmes un club d'étude. Chaque jour après la classe, nous faisions nos devoirs et révisions nos leçons ensemble. Ça leur en bouchait un coin, aux filles, de nous voir tous lever la main dès que le professeur posait une question! Monsieur Bouchard, lui, avait maintenant une bien meilleure attitude envers les garçons, surtout avec moi.

4

LA NOUVELLE

Ne croyez pas que je ne plaisais qu'aux grandes personnes. J'étais aussi la coqueluche des petits. Dans ma ruelle ou en classe, je ne comptais que des amis. Dès que je proposais un jeu, tous voulaient y jouer. À l'école, je fus nommé président de classe chaque année. Jamais personne n'osa se présenter contre moi!

Même ma petite sœur, qui arriva comme un cadeau pour mes huit ans, succomba très vite à mon charme. D'ailleurs, son premier mot ne fut pas « maman », ni « papa », mais « Gab ». C'était sa façon de dire mon nom.

Dès que Soukie fut capable de marcher, elle se mit à me suivre partout. Elle me tendait les bras pour que je la prenne, en répétant du réveil jusqu'au dodo : « Gab, Gab, Gab, bras ! » Je ne récupérais l'usage de mes membres supérieurs qu'à l'école.

Vous l'ai-je déjà dit ? J'étais irrésistible ! Sauf que mon charisme finit par me causer quelques ennuis.

Naturellement, j'étais invité à tous les anniversaires de mes camarades de classe. Comme il y avait trois groupes de mon niveau, faites le calcul. Trente-deux fois trois, ça fait… un carnet mondain bien rempli. Mes parents commençaient à trouver que ça leur coûtait drôlement cher en cadeaux!

De plus, quand venait mon tour, il fallait forcément inviter tout le monde. Or, impossible de recevoir quatre-vingt-seize personnes dans notre petit logement. Ça nous prenait un parc, une salle paroissiale ou un McDo!

* * *

À l'âge de neuf ans, je commençai à m'intéresser un peu plus au sexe opposé. C'est à ce moment-là qu'arriva le point tournant de ma carrière de séducteur.

Avant, filles ou garçons, je ne faisais pas de différence. Cela changea avec l'arrivée d'Anne-Sophie. Toujours chevaleresque, je me portai volontaire pour servir de guide et partager mon casier avec la petite nouvelle.

Dès son premier jour en classe, elle charma tous les élèves par sa gentillesse, son joli minois et son abondante crinière rousse. En moins d'une semaine, Anne-Sophie était aussi populaire que moi. Ce n'est pas peu dire !

Il n'en fallait pas davantage pour que j'en tombe éperdument amoureux. Mais comme toutes les autres filles de quatrième m'avaient donné leur carte à la dernière Saint-Valentin, je ne m'étais pas encore risqué à lui avouer mon amour. Une histoire entre nous aurait fait trop d'envieuses !

Le jour où ma belle Anne-Sophie m'invita à sa fête, je devinai qu'elle m'aimait aussi.

— Il n'y aura personne de notre classe, m'assura-t-elle, seulement quelques vieilles connaissances.

J'acceptai joyeusement son invitation, pensant que je pourrais enfin lui donner un bec sans déclencher douze crises de jalousie.

5

LA FÊTE

Le samedi de sa fête, je me mis sur mon trente-six pour conquérir Anne-Sophie. J'avais enfilé mon plus beau jean, gominé mes cheveux, brossé mes dents, décrassé mes ongles et nettoyé mes baskets. Ma mère m'avait aidé à choisir un cadeau très à la mode chez les demoiselles de neuf ans.

J'avais tout du parfait gentleman.

Avec mon père, je me présentai donc à la porte d'Anne-Sophie, confiant, mais tout de même un peu nerveux. C'est elle-même qui vint nous ouvrir, suivie de près par une dizaine d'amis.

Je remarquai vite qu'il n'y avait que des filles.

Anne-Sophie était ravissante dans une robe vert émeraude, de la même couleur que ses douces prunelles. Ses boucles rousses dansaient en cascade autour de son visage, comme une auréole de feu. Elle avait du brillant à lèvres et un soupçon de rose sur ses joues parsemées de taches de son.

Quel délicieux couple nous formions!

Je lui baisai la main, comme il se doit, en lui souhaitant bonne fête.

Ça ricanait fort dans l'assistance!

Elle me tira ensuite vers l'intérieur, recommandant à mon papa de ne pas revenir me chercher avant dix-sept heures.

Malheureusement, je ne profitai pas longtemps de ma chère Anne-Sophie. Et je pus encore moins l'embrasser!

Je ne sais pas ce qu'elle leur avait raconté à mon sujet, mais ses copines ne me lâchèrent pas une seconde. Sarah désirait évaluer mes talents de danseur. Maude et Catherine souhaitaient jouer à la Barbie avec moi dans le rôle de Ken. Suzie, Jessica et Arianne insistaient pour qu'on fasse une partie de scrabble junior. Juliette et Prudence avaient envie de me coiffer, Roxanne et Myriam, de me maquiller!

Ne voulant blesser personne, je proposai de passer du temps avec chacune à tour de rôle. Mais rapidement, ce fut la pagaille.

Maude et Catherine affirmaient que je dansais trop avec Sarah. Suzie, Jessica et Arianne s'impatientaient devant le scrabble. Juliette et Prudence se chamaillaient parce qu'elles n'arrivaient pas à décider qui aurait ma tête en premier. Roxanne voulait me mettre du bleu sur les paupières, Myriam du vert. Et le comble : Anne-Sophie, délaissée, boudait dans un coin !

On n'avait pas mangé le gâteau, ni même déballé les cadeaux, que ça criait et ça braillait à qui mieux mieux. Le fiasco total, quoi !

La mère d'Anne-Sophie dut intervenir pour séparer les diablesses qui en étaient rendues à se tirer les cheveux. Elle appela aussi mon père pour qu'il vienne me chercher de toute urgence.

Lorsque papa arriva, à peine deux heures après m'avoir déposé chez Anne-Sophie, il me retrouva en pleurs, me plaignant d'une grosse migraine. J'avais des barrettes et des élastiques plein la tête, le visage barbouillé de rouge à lèvres ainsi que de fard à paupières et quelques boutons de chemise en moins.

Voilà où m'avait mené mon charme ravageur !

6

LA TRANSFORMATION

Le dimanche matin, remis de mes émotions de la veille, je me dis qu'il était grand temps que je cesse de jouer les ensorceleurs. J'avais pris mes résolutions. Fini les belles manières, les flatteries et les gentillesses. J'allais devenir bête et méchant !

Mais pour cela, il me fallait d'abord avoir la gueule de l'emploi.

Après le souper, pour bien marquer ma mutation en laideron, je commençai par tailler mes bouclettes dorées. Malgré cette coupe improvisée, je conservais un visage angélique. Ça n'allait pas du tout. On ne me croirait jamais cruel avec cette frimousse de chérubin.

Je cassai alors ma tirelire, mis ma casquette et déclarai à ma mère que j'allais m'acheter des bonbons au dépanneur. En fait, je me rendis à la pharmacie.

Il me fallait des lunettes de soleil pour cacher l'azur limpide de mon regard. Je les choisis sombres et opaques, du genre de celles que portent les gangsters.

Au rayon capillaire, j'hésitai un instant entre un shampoing colorant temporaire et une teinture permanente. Je pris finalement cette dernière, en me disant que, autrement, ma mère me ferait deux shampoings par jour, jusqu'à ce que la couleur disparaisse. J'optai pour la teinte charbon, celle des vilains, c'est bien connu.

Dans l'allée suivante, je trouvai un super bracelet de cuir clouté. Avec mon t-shirt à tête de mort et mon pantalon cargo kaki, j'aurai l'apparence d'un vrai dur, c'est sûr !

J'avais un bon plan. Après le souper, je m'enfermerais dans la salle de bain pour ma transformation, en prétextant vouloir prendre une longue douche. Maman serait contente, car je m'y refusais habituellement.

À dix-neuf heures donc, je me barricadai dans la salle d'eau avec mon flacon de teinture. Il me fallut du temps pour lire le feuillet d'instructions, mais finalement je compris. Je devais garder la mixture soixante minutes sous un bonnet de plastique avant de rincer. J'en profitai pour m'exercer devant le miroir à adopter des expressions sinistres.

L'heure écoulée, je rinçai la teinture dans le lavabo. Je mis un bon moment à nettoyer les dégâts.

Mes parents, qui commençaient à s'impatienter, frappèrent à la porte.

— Étais-tu si sale que ça, Gabriel ?

— Oui, mais ça vient, j'ai presque fini.

J'enroulai une serviette sur ma tête et sortis, armé du séchoir.

— Je vais me sécher les cheveux dans ma chambre et je me couche tout de suite après. Je suis fatigué.

— Bonne nuit, mon ange ! me dit maman en m'embrassant. Allez,

dors tranquille, Anne-Sophie aura déjà tout oublié demain matin.

J'en doutais beaucoup, mais l'heure n'était pas à la discussion. J'avais autre chose à faire.

Une fois ma tignasse séchée, je mis les lunettes sur mon nez. C'était bien mieux ainsi. Il ne me restait plus qu'à contrôler les coins de ma bouche qui avaient tendance à remonter tout seuls. Il est certain que, après avoir passé neuf ans à sourire, cette fâcheuse habitude était difficile à perdre!

En fronçant les sourcils et en serrant les dents, le reflet du Gabriel nouveau dans la glace de ma commode était vraiment affreux.

— Avec cette tronche-là, plus personne ne voudra de moi!

Satisfait du résultat, je me mis au lit.

7

BÊTE ET MÉCHANT

Le lendemain, n'y pensant plus, je me pointai dans la cuisine pour le petit-déjeuner. Ma mère lâcha un cri, en renversant sa tasse de café.

— Mais qu'est-ce qui t'arrive? me demanda-t-elle, horrifiée. Quel désastre! Où est passé mon angelot?

Oups! J'avais gaffé! Je m'étais pourtant promis de porter ma casquette dès mon réveil.

Je savais qu'on n'avait pas le temps de parler de cela ce matin, mais je savais aussi que ça allait barder au retour de l'école. Je me consolai en me disant que j'avais manifestement réussi ma métamorphose.

Ma mère essaya de me peigner, mais c'était inutile. Mes mèches inégales étaient indomptables! En désespoir de cause, elle m'enfonça ma casquette sur le coco.

— Quel gâchis, mon bébé! Pourquoi as-tu fait une chose pareille?

Sans lui répondre, j'allai enfiler mon costume de brute. Je réussis à sortir sans que ma mère voie ce t-shirt qu'elle avait en horreur.

Je me mis vaillamment en route pour l'école. À un pâté de maisons

de celle-ci, j'ôtai ma casquette et chaussai mes verres fumés. J'étais certain d'être repoussant. On me prendrait peut-être même pour un nouveau?

Dans la cour, personne ne me reconnut. On me regarda avec méfiance, mais je restai à l'écart.

Puis, arrivé à l'intérieur, je me dirigeai vers le casier que je partageais avec Anne-Sophie. Celle-ci, surprise, m'interrogea.

— Je ne me souviens pas que mes copines t'aient teint les cheveux. Es-tu tombé dans le goudron?

Refusant d'émettre le moindre son, je lui fis un air de bœuf. C'était difficile pour moi d'agir ainsi. Elle était tellement mignonne! Mais j'avais pris des résolutions et il n'était pas question de flancher au premier obstacle.

Toute la matinée, Anne-Sophie me regarda d'un air triste. Les autres aussi me dévisageaient bizarrement. Madame Venne, notre institutrice, m'obligea à enlever mes lunettes. Néanmoins, elle n'obtint rien de plus de moi. Pas une seule fois je ne levai la main, même si je connaissais toutes les réponses. Motus et bouche cousue, je ne desserrai pas les dents de la journée.

Pendant la récréation du matin, je restai dans mon coin. Au dîner, je délaissai ma place habituelle, pour m'asseoir à une table vide. Durant la pause de l'après-midi : re-seul. J'admets que ça devenait un peu ennuyant. Je résistai quand même.

Décrétant que l'heure n'était pas au ballon-chasseur, Anne-Sophie rassembla tous les copains de ma classe autour d'elle. Je ne sais pas ce qu'ils se dirent, mais à un moment donné, Anne-Sophie s'approcha de moi.

— Tu ne veux plus être des nôtres ? me demanda-t-elle.

Je refusais toujours d'ouvrir la bouche. Penaude, elle retourna auprès des autres pour poursuivre la discussion. Puis, la cloche sonna et nous rentrâmes tous.

En fin de journée, je me sauvai comme un voleur, sans que personne puisse me parler.

Ouf ! J'avais tenu le coup ! Imperceptiblement d'abord, puis bien franchement, mes lèvres reprirent leur position naturelle.

* * *

De retour à la maison, je me fis passer un savon. Dès que Soukie entendit mes pas dans l'escalier, elle courut à la porte pour m'accueillir comme à son habitude. En me voyant ainsi transformé, la pauvre petite eut une horrible frousse. Elle se mit à hurler de peur.

Quand enfin ma mère réussit à calmer ma sœurette, elle ne me fit pas de cadeau! Elle confisqua mes lunettes, mon bracelet, mon t-shirt et prit un rendez-vous d'urgence avec une coiffeuse à domicile.

La dame arriva à dix-sept heures. À dix-neuf heures, j'étais au lit, privé de dessert et de télé.

J'étais à nouveau blond platine… et j'arborais une belle brosse d'à peine deux centimètres.

8

LE POIDS
DE LA POPULARITÉ

En route pour l'école le lendemain, je me disais qu'il me faudrait trouver une autre façon de régler mon problème de popularité. Maintenant que j'avais presque retrouvé mon apparence normale, je ne pouvais plus compter sur mon air de voyou pour faire fuir mes admirateurs.

Mais comment faire? Devais-je devenir un cancre? Dire des grossièretés? Jouer des poings?

J'en étais là de mes réflexions quand j'entrai dans la cour. Rien à signaler chez les petits du premier cycle. Regroupés dans leur territoire, ils jouaient paisiblement. Comme toujours aussi, les grands de cinquième et de sixième les regardaient de haut. Mais quel changement chez les copains de ma classe!

Tous réunis dans un coin, la plupart des gars avaient maintenant des coiffures bizarres. Mon ami Patrice avait déchiré exprès son beau jean. Sébastien portait sa chaîne de bicyclette au cou. Et les filles? C'était pire! Marie-Josée avait mis une jupe à carreaux par-dessus un collant dont les mailles filaient. Élisabeth portait des épingles de sûreté à la place de ses boucles d'oreilles… Jusqu'à ma belle Anne-Sophie qui avait maintenant des tresses violettes!

Voilà donc ce qu'elle complotait avec les autres, hier, à la récré! Ils ressemblaient à s'y méprendre aux membres de la bande de durs qu'on voyait à la polyvalente de l'autre côté de la rue. C'était épouvantable!

Anne-Sophie s'approcha de moi, étonnée que j'aie encore changé de style.

— Qu'est-ce qui vous est arrivé? lui demandai-je.

— On pensait que tu avais décidé de nous abandonner pour te joindre au clan des brutes de l'école secondaire. On a voulu te prouver notre loyauté en faisant comme toi.

Aïe, aïe, aïe! Qu'avais-je fait? En voulant devenir impopulaire, je n'avais réussi qu'à lancer une nouvelle mode. J'étais bien avancé!

À ce compte-là, pensai-je, s'il fallait que je me mette à me battre et à insulter les gens, c'est sûr qu'il y aurait bientôt une guerre à l'école! Aussi bien, alors, demeurer gentil. Car à l'évidence, quoi que je fasse, j'étais condamné à plaire et à être imité.

Quelle lourde responsabilité! Je ne voulais plus être seul à la porter. Devant toute la classe, je pris Anne-Sophie par les épaules.

— Veux-tu être ma blonde?

Elle sourit, un reflet irisé au bord des cils. Avant qu'elle puisse parler, des «hou!» et des «ha!» se mirent à fuser dans la foule qui nous entourait.

— Dis oui! lancèrent les filles en chœur.

— Oooooh! Le beau p'tit couple! ajoutèrent les gars.

Anne-Sophie arrondit alors son adorable petite bouche rose pour me souffler la réponse que j'espérais.

Au son de la cloche, nous nous précipitâmes, main dans la main, pour prendre la première place dans le rang devant madame Venne.

J'étais à la fois fier et heureux. Mon problème était réglé, du moins à moitié…

Grâce à Anne-Sophie, j'avais enfin quelqu'un avec qui partager le poids de la popularité !

TABLE DES MATIÈRES

Hélène Cossette

Hélène Cossette est née à Montréal en 1961 et demeure dans le quartier Ahuntsic. Bachelière en administration, elle travaille dans le domaine des communications. À la suite d'un retour aux études en journalisme, elle s'intéresse à la littérature jeunesse. Son premier roman, *Feuille de chou,* publié en 2004 (collection Papillon, n° 101), s'est mérité le prix Cécile Gagnon du premier roman. Avec *Le séducteur*, elle nous livre les mésaventures à la fois tendres et humoristiques de Gabriel, un héros trop *beau* pour être vrai!

Collection Sésame